BÉLA BARTÓK

ベーラ・バルトーク

MIKROKOSMOS

ミクロコスモス

153 Progressive Piano Pieces

153 Peças Progressivas para Piano

153 Piezas Progresivas para Piano

153のピアノ練習曲

1 Nos. 1–36

New Definitive Edition 1987

Nova Ediçao Definitiva 1987

Nueva Edición Definitiva 1987

改訂決定版1987

BOOSEY & HAWKES

Boosey & Hawkes Music Publishers Ltd
www.boosey.com

Sole distribution in Brazil:
Musas Editora & Distribuidora Musical Ltda.

Contents

Índice

Indice

目　次

Foreword

TO THE DEFINITIVE EDITION OF 'MIKROKOSMOS'

During the period when I knew him my father generally accepted only advanced piano students. Nevertheless, when I was about nine years old (1933), he agreed to start teaching me from the very beginning.

His teaching programme did not follow an accepted 'piano school' technique. At first I was to sing only. Later, exercises were improvised, directed partly at the independent control of the fingers. In the course of our lessons he sometimes asked me to wait while he sat down at his desk, and I would hear only the scratching of his pen. In a few minutes he would bring to the piano an exercise, or a short piece, that I was to decipher right away and then learn for our next lesson.

So were born some of the easier pieces in these volumes. However, he kept on producing others at a much faster rate than I could learn them. He wrote the little compositions as the ideas occurred to him. Soon there was a large collection to choose from, so I could learn those assigned to me from a fair copy of the manuscript.

Eventually my father arranged the pieces in a progressive order for publication. He explained his choice of title thus:

'The *Mikrokosmos* is a cycle of 153 pieces for piano, written with a didactic purpose. That is, to give piano pieces which can be used from the very beginning, and then going on, it is graded according to difficulties. And the word *Mikrokosmos* may be interpreted as a series of pieces in many different styles, representing a small world. Or it may be interpreted as "world of the little ones, the children".' [Interview broadcast by WNYC, New York, in early 1945, on a programme entitled *Ask the Composer.*]

For the present edition (1987) all known manuscript sources have been compared with the original printed versions (first published in London and New York in April 1940) and errors have been corrected in the effort to make this a definitive edition. I wish to record my thanks in particular to Eve Beglarian, for her work in comparing manuscripts with the printed editions and determining the necessary corrections; to György Sándor for offering suggestions and assistance in deciding a number of musical problems, and to László Somfai, of the Budapest Bartók Archive, for making available copies of material in the Archive's possession.

PETER BARTÓK
Homosassa, Florida, 1987

PUBLISHER'S NOTE
The translations have been provided by Gale Garnett (English verses), Francisco Dalmen Carneiro and Leilah M. Paiva Correa (Portuguese texts and verses), María Garzón (Spanish texts and verses) and Yoshiko Itakura (Japanese texts and verses).

Prefácio

À EDIÇÃO DEFINITIVA DO "MIKROKOSMOS"

Durante o período em que o conheci, meu pai geralmente só aceitava alunos de piano adiantados. Entretanto, quando eu tinha cerca de nove anos de idade (em 1933), ele concordou em começar a me ensinar bem do início.

O seu programa não seguia um método de ensino próprio das "escolas de piano". No princípio eu apenas deveria cantar. Mais tarde, ele improvisou exercícios parcialmente dirigidos ao controle independente dos dedos. No curso de nossas lições, às vezes ele me pedia para esperar enquanto ele sentava à sua escrivaninha, ocasião em que eu ouvia apenas o ruído de sua caneta riscando. Em poucos minutos, ele trazia ao piano um exercício ou uma pequena peça para que eu imediatamente fizesse a sua leitura e, em seguida, a estudasse para a nossa próxima lição.

Foi desta maneira que surgiram algumas das peças mais fáceis destes compêndios. No entanto, ele continuava criando outras muito mais rapidamente do que eu podia aprendê-las. Ele escrevia as pequenas composições à medida que as idéias lhe ocorriam. Logo formou-se uma grande coleção que dava para escolher, de modo que eu pude aprender aquelas designadas para mim, a partir de uma boa cópia dos manuscritos.

Posteriormente, meu pai dispôs as peças numa ordem progressiva para publicação. Assim explicou ele a sua escolha do título:

'O *Mikrokosmos* é um ciclo de 153 peças para piano, escritas com um objetivo didático. Isto quer dizer que se começa com as peças fáceis e depois, gradativamente, continua-se em progressão mais difícil. E o termo *Mikrokosmos* pode ser interpretado como sendo uma série de peças escritas em estilos diferentes, representando, assim, um pequeno mundo. Ou também pode ser entendido como se fosse o "mundo dos pequeninos, das crianças".' [Entrevista levada ao ar pela WNYC de Nova Iorque em princípios de 1945, no programa intitulado *Pergunte ao Compositor.*]

Para a presente edição (1987) foram comparadas todas as fontes de manuscritos conhecidas com as versões originais impressas (publicadas pela primeira vez em Londres e Nova Iorque em abril de 1940), tendo as falhas sido corrigidas, a fim de se chegar a esta edição definitiva. Desejo registrar meus agradecimentos em particular a Eve Beglarian pelo seu trabalho de comparação dos manuscritos com as edições impressas e de indicação das correções que se fizeram necessárias; a György Sándor, por ter oferecido sugestões e ajuda na solução de um grande número de problemas musicais, e a László Somfai, do arquivo Bartók de Budapeste, por ter possibilitado o acesso às cópias de documentos de propriedade do arquivo.

PETER BARTÓK
Homosassa, Florida 1987

ANOTAÇÃO DA EDITORA
As traduções foram providenciadas por Gale Garnett (versão inglesa), Francisco Dalmen Carneiro e Leilah M. Paiva Correa (versão portuguesa), María Garzón (versão espanhola) e Yoshiko Itakura (versão japonesa).

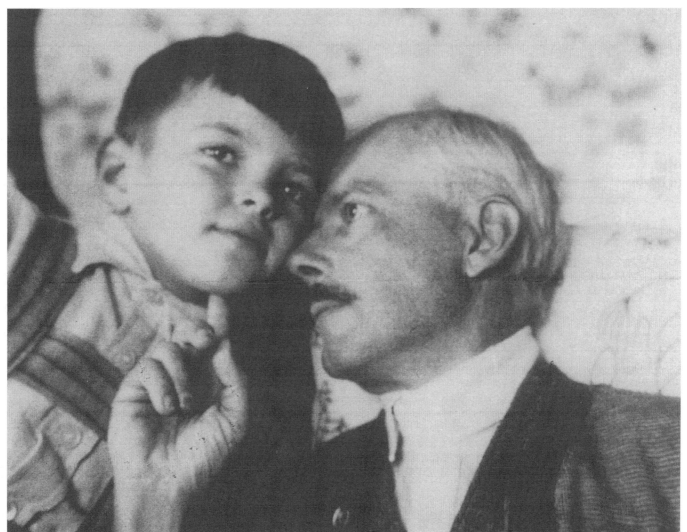

Béla Bartók and Peter Bartók, c. 1933

Prólogo

A LA EDICIÓN DEFINITIVA DEL "MIKROKOSMOS"

Durante el período que pasé con mi padre, éste sólo aceptaba alumnos avanzados. Sin embargo, en 1933, cuando yo tenía unos nueve años, accedió a enseñarme desde el principio.

Su programa no seguía en absoluto un método de las "escuelas de Piano". Para empezar, yo sólo cantaba. Más tarde mi padre improvisó ejercicios para desarrollar la independencia de dedos. Durante nuestras clases, me pedía a veces que esperase mientras él se sentaba en su escritorio y lo único que yo oía era el rasgido de su pluma. A los pocos minutos traía al piano un ejercicio o una pieza corta que yo tenía que descifrar inmediatamente y después estudiar para la clase siguiente.

Así nacieron algunas de las piezas más fáciles de estos cuadernos. Sin embargo, él siguió inventando piezas a una mucha mayor velocidad de lo que yo podía aprenderlas. Escribía estas pequeñas piezas espontáneamente. Enseguida tuvimos una abundante colección, y yo podía estudiar las piezas asignadas a partir de una buena copia del manuscrito.

Más tarde mi padre organizó las piezas en un orden progresivo para su publicación. Explicó su elección del título así:

"El Mikrokosmos es una ciclo de 153 piezas para piano escritas con una finalidad didáctica. Esto quiere decir que se empieza con las obras fáciles y se continúa en orden progresivo con las más difíciles. Y la palabra "Mikrokosmos" puede ser interpretada como una serie de piezas de estilos diferentes que representan un pequeño mundo. También se pueden entender como "el mundo de los pequeños, de los niños". [Entrevista dada en la radio WNYC de Nueva York, al principio de 1945, durante la emisión con el título de "Pregunten al Compositor."]

Para la presente edición (1987) se han comparado todas las fuentes de manuscritos conocidos con las versiones originales impresas (publicadas primeramente en Londres y Nueva York en Abril 1940), y todos los errores han sido corregidos para llegar a esta edición definitiva. Mi agradecimiento más sincero a Eve Beglarian que ha comparado los manuscritos con las ediciones impresas y ha determinado las correcciones necesarias; a György Sándor por sus consejos y su asistencia, y a Lászlo Somfai, de los archivos Bartók de Budapest, por las copias de los documentos pertenecientes a los archivos.

PETER BARTÓK
Homosassa, Florida 1987

NOTA EDITORIAL
Traducciones suministrado por Gale Garnett (letras de las canciones en inglés), Francisco Dalmen Carneiro y Leilah M. Paiva Correa (letras y textos portugues), María Garzón (letras y textos en español) y Yoshiko Itakura (letras y textos en Japanese).

まえがき
改訂決定版の刊行によせて

　わたしが知るかぎり、父は普通、上級の生徒にしかピアノを教えなかった。ところが、わたしが9歳になると、手ほどきを承知してくれた。1933年のことである。

　父のレッスンのプログラムは、いわゆるピアノ学校のやりかたとは違っていた。最初は歌うだけだった。しばらくすると、父は即興で練習曲をつくり、それぞれの指をある程度独立して動かせるように指導してくれるようになった。また、レッスンの途中で、父が書きもの机で作曲をする間、しばらく待っているように言われることもあった。そんなときはペンの走る音だけが耳に入ってくるのだった。2、3分もすると、練習曲や短い作品を携えて父がピアノのところにやってくる。すぐに初見で演奏し、次のレッスンまでに覚えてこなければならなかった。

　本書の練習曲のうち、いくつかのやさしい曲はこうしてレッスンの合間に誕生した。しかしながら父は次々と曲をつくり続け、その速さたるや、わたしのおさらいが追いつかないほどだった。短い曲は着想と同時に採譜された。まもなく、選択しがいのある膨大なコレクションができあがった。それでわたしは、自分専用の、清書された手書き譜集で学ぶことができたのである。

　出版にあたり、父は最終的に作品を自分でならべかえ、段階的にレッスンを進められるように構成しなおした。本書のタイトルについて、彼は次のように説明している。「『ミクロコスモス』は153の作品からなるピアノ教則用の練習曲集である。いいかえるなら難易度に応じて段階的に習得を進めつづけるための、入門から使える教本である。＜ミクロコスモス＞ということばは、ひとつには、さまざまな形式による作品をひとつづきにまとめたもの、つまり小宇宙を表すと解釈できる。あるいは、小さき者、つまり子供たちの世界を表すと考えてもらってよいだろう」（1945年初頭に、ニューヨーク・WNYCラジオの「作曲家にきく」で放送されたインタビューより）

　今回の改訂版刊行にあたっては、すでに知られたすべての手書き譜が、1940年にロンドンとニューヨークで出版された初版本に照合され、本書が定本となるよう念入りにまちがいが訂正された。その作業を実際に行ない、訂正の必要な箇所をあらい出してくれたのはイヴ・ベルグラリアンである。この場を借りて、彼女への特別の謝意を表したい。また、音楽的な問題の解決についてアドバイスと助力をあたえてくれたジェルジュ・シャーンドル、所蔵作品のコピーに応じてもらったブダペスト・バルトーク記念館のラスロ・ションファイ、フランス語版の部分的な見直しで世話になったアリアンス・フランセーズ、マイアミ校のジャン＝マリー・カッサーニュの各氏にもお礼を申し上げたい。各国語の翻訳改訂は、英語の歌詞はゲイル・ガーネット、フランス語の文と歌詞はエレン・L　シュピーゲル、ドイツ語の文と歌詞はヨルグ・ベレントが担当した。

ペーテル・バルトーク
アメリカ、フロリダ州ホモサッサにて、1987年

出版者註
　本書の英語版翻訳者はゲイル・ガーネット、ポルトガル語版の翻訳と訳詞はフランチスコ・D. カルネイロ及びレイタ・M. パイヴァ・コッレア、スペイン語版の翻訳と訳詞はマリア・ガルソン、そして日本語版の翻訳と訳詞は板倉克子によるものである。

Béla Bartók and Peter Bartók, c. 1933

The first four volumes of *Mikrokosmos* were written to provide study material for the beginner pianist – young or adult – and are intended to cover, as far as possible, most of the simple technical problems likely to be encountered in the early stages. The material in volumes 1-3 has been designed to be sufficient in itself for the first, or first and second, year of study. These three books differ from a conventional 'piano method' in that technical and theoretical instructions have been omitted, in the belief that these are more appropriately left for the teacher to explain to the student. In many instances a number of pieces are provided which relate to similar specific problems; teachers and students thus have an opportunity to make their own selection. In any case it is neither necessary, nor perhaps even possible or permissible, for every student to learn all ninety-six pieces.

To facilitate the teacher's task, exercises are included in an appendix to each of the first four volumes. The numbers in parentheses next to each exercise-number indicate the pieces containing problems to which the exercise relates. Sometimes the same technical problem is dealt with in more than one exercise. Again, the teacher should make a selection according to the student's ability, giving the more difficult exercises to the more able student and the easier ones to those with less skill. These exercises should be studied some time in advance of, and not immediately before, attempting to learn the pieces containing the related problems. It will be obvious that no really elementary exercises have been included, e.g. five-finger exercises, 'thumb-under', simple broken triads, etc.; in this respect too, there has been a departure from the customary 'piano method' approach. In any event, every teacher will be familiar with suitable exercises at this level, and will be able to judge what the student can play.

The progressive sequence of the pieces and exercises as to technical and musical difficulty is only an approximation; the teacher may modify the given order taking account, as appropriate, of the student's ability. The metronome markings and indicated duration should be regarded only as a guide, particularly in volumes 1-3; the first few dozen pieces may be played at a faster or slower *tempo* as circumstances dictate. As progress is made, the *tempi* should be considered as less variable, and in volumes 5 and 6 *tempo* indications must be adhered to. An asterisk (*) next to the number of a piece means that a corresponding explanatory note will be found in the Appendix to the volume.

A second piano-part has been provided for four pieces – Nos. 43, 44, 55 and 68. It is important that students begin ensemble-playing at the earliest possible stage. Of course the pieces written for two pianos can only be used in a classroom teaching situation where – as they should be – two pianos are available. Four other pieces – Nos. 65, 74, 95 and 127 – are written as songs with piano accompaniment. All instrumental study or training should really commence with the student singing. Where this has been the case, the performance of pieces for voice and piano should not be hard

to accomplish. Such pieces offer very useful practice in reading three staves instead of two, the student singing while playing the accompaniment at the same time. To make things easier, solo piano versions of Nos. 74 and 95 have also been supplied. This version should be learned first, and only afterwards should the student turn to the version for voice and piano. Various performance possibilities for No. 65 will be found in the Appendix to volume 2.

Work on volume 4 may – indeed should – be combined with the study of other compositions such as the *Note Book for Anna Magdalena Bach* by J. S. Bach, appropriate studies by Czerny, etc. Transposition of the simpler pieces and exercises into other keys is recommended. Even transcription of suitable pieces from volumes 1-3 may be attempted. Only 'strict' transcription is implied here, for instance at first doubling octaves as on a harpsichord. Additionally, certain pieces could be played on two pianos, an octave apart, e.g. Nos. 45, 51, 56 etc. More adventurous modifications might be attempted such as simplifying the accompaniment to No. 69 (volume 3):

etc., though the adaptation of bars 10-11, 14-15, 22-23, 26-27, 30 and 32-33 may call for a fair amount of mental agility. Many more opportunities exist in this area: their proper solution should be dictated by the teacher's or the more resourceful students' ingenuity.

And while on the subject of transcriptions, it may be noted that some pieces – among easier ones Nos. 76, 77, 78, 79, 92 and 104b; among the more difficult Nos. 117, 118, 123 and 145 – are suitable for playing on the harpsichord. On this instrument, doubling octaves is achieved by registration.

Finally, attention is drawn to another application of *Mikrokosmos*: more advanced students may find the pieces useful as sight-reading material.

BÉLA BARTÓK

Préfacio
PELO COMPOSITOR

Os quatro primeiros volumes desta coleção foram escritos para suprir o pianista iniciante de material de estudo - seja ele jovem ou adulto – e são destinados a fazer face, tanto quanto possível, à maioria dos problemas técnicos simples, possíveis de serem encontrados nos estágios iniciais. O material contido nos volumes 1-3 foi concebido como sendo suficiente para o primeiro ou mesmo para o primeiro e segundo anos de estudo. Estes três livros diferem de um 'método de piano' convencional, no qual não constam instruções técnicas e teóricas, no pressuposto de que a sua explicação será dada ao aluno de modo muito mais proveitoso pelo próprio professor. Em muitas situações um número de peças foram providenciadas, pois têm relação com problemas específicos similares; desta maneira, professor e aluno passam a ter uma oportunidade de fazerem sua própria escolha. Em todo caso, não é necessário e nem mesmo possível ou talvez permissível o fato de cada aluno ter de aprender todas as noventa e seis peças.

Para facilitar a tarefa do professor, existe um apêndice em cada um dos quatro primeiros volumes, onde estão incluídos os exercícios. Os números entre parênteses ao lado de cada número de lição indicam as peças que apresentam problemas e às quais o exercício se refere. Às vezes ocorre que o mesmo problema técnico é enfatizado em mais de um exercício. Aqui, novamente, caberia ao professor estabelecer uma escolha baseada na aptidão do aluno, deixando os exercícios mais difíceis aos alunos mais aptos e os mais fáceis aos menos dotados. É recomendável que tais exercícios sejam abordados bem antes e não imediatamente antes do estudo da peça correspondente. Evidentemente, exercícios elementares como aqueles para os cinco dedos, *polegar por baixo, acordes quebrados simples,* não estão incluídos, o que constitui uma outra diferença entre esta publicação e um método mais racional. De qualquer modo, cada professor deverá se familiarizar com os exercícios convenientes neste nível e tornar-se apto para julgar o que o aluno pode tocar.

A seqüência progressiva das peças e exercícios no que concerne à dificuldade técnica e musical foi feita de modo aproximado, deixando-se ao professor total liberdade para modificar a ordem original, levando em conta a habilidade do aluno. As marcações metronômicas e duração indicada devem ser consideradas apenas como guia, particularmente nos volumes 1-3; as primeiras doze peças poderão ser tocadas em *tempo* mais rápido ou mais lento, conforme ditarem as circunstâncias. À medida que o aluno avança, as variações nos *tempos* das peças devem se restringir ao mínimo, de sorte que nos volumes 5 e 6 as indicações de *tempo* sejam obedecidas à risca. A colocação de um asterisco (*) junto ao número de uma peça significa a existência de uma nota explicativa a ser encontrada no apêndice àquele volume.

Foi também providenciada uma segunda parte para o piano nos exercícios n°s 43, 44, 55 e 68. É importante que os alunos se iniciem na modalidade de tocar junto com outra pessoa o mais cedo possível. Evidentemente, as peças escritas para dois pianos só poderão ser postas em prática quando na sala de aula existirem dois pianos. Quatro outras peças – as de n°s 65, 74, 95 e 127 – foram escritas em forma de canções com acompanhamento de piano. Todo ensinamento musical deveria, a rigor, começar com exercícios de canto. Abordado desta maneira, a execução de peças para canto e piano deveria se tornar bem fácil. Estes tipos de exercícios são de grande utilidade prática na leitura de três pautas ao invés de duas, ocasião em que o aluno canta, enquanto toca o acompanhamento ao mesmo tempo. Para facilitar, existem também as versões para piano solo dos n°s 74 e 95. Esta versão deveria ser aprendida antes e somente depois o aluno tentaria a versão para canto e piano. Vários modos de execução do n° 65 encontram-se no apêndice ao volume 2.

O estudo do volume 4 pode – e até mesmo deve – ser combinado com o estudo de outras composições tais como *O Pequeno Livro de Anna Magdalena Bach* de J.S. Bach, estudos adequados de Czerny, etc. Recomenda-se também o trabalho de transposição de peças e exercícios mais simples para outras tonalidades. Até mesmo a transcrição de peças apropriadas dos volumes 1-3 poderia ser tentada. Naturalmente, estamos falando aqui de uma transcrição no modo 'estrito', por exemplo, o emprego das oitavas aumentadas à maneira dos registros existentes no cravo. De certo modo, algumas peças poderiam ser tocadas em dois pianos com o segundo executante tocando numa oitava acima, como, por exemplo, os n°s 45, 51, 56, etc. Poder-se-ia também tentar modificações mais importantes, como a simplificação do acompanhamento do n° 69 (volume 3) como abaixo demonstrado:

etc., embora a adaptação dos compassos 10-11, 14-15, 22-23, 26-27, 30 e 32-33 venha a requerer bastante agilidade mental. Muitas outras oportunidades para o desenvolvimento de um trabalho similar existem nesta área e o resultado dependerá sobretudo do talento do professor e da habilidade dos alunos.

Ainda a respeito do assunto das transcrições, vale notar que algumas peças – entre as mais fáceis as de números 76, 77, 78, 79, 92 e 104b e entre as mais difíceis as de números 117, 118, 123 e 145 – são adequadas também para a execução ao cravo. Neste instrumento o ato de tocar em oitavas é conseguido através da utilização de registro próprio.

Finalmente, pode-se vislumbrar ainda uma outra aplicação do *Mikrokosmos*: os alunos de nível mais avançado poderão dele se utilizar como meio de exercitar a leitura musical à primeira vista.

BÉLA BARTÓK

Los cuatro primeros volúmenes del *Mikrokosmos* fueron concebidos para ofrecer al pianista principiante (joven o adulto) un material de trabajo que plantease, dentro de lo posible, todos los problemas técnicos simples del primer período de aprendizaje. El material que se ofrece en los tres primeros volúmenes debería ser suficiente para el primer o primero y segundo años de trabajo. Estos tres cuadernos se diferencian de cualquier otro método convencional por la ausencia de explicaciones técnicas o teóricas. Cada profesor puede proporcionar la información según crea oportuno. En muchas ocasiones se encuentran piezas que presentan el mismo tipo de problema técnico, dejando de tal forma al profesor o al alumno la oportunidad de elegir las piezas que más interesantes les parezcan. No es necesario, ni en algunos casos aconsejable, que el estudiante trabaje todas y cada una de las noventa y seis piezas del conjunto de la obra.

Para facilitar el trabajo pedagógico, se han añadido ejercicios a los cuatro primeros volúmenes. Los números entre paréntesis al lado de cada número de ejercicio indican las piezas que tienen dificultades técnicas a las que se pueden aplicar dichos ejercicios. A veces se trata el mismo problema técnico con ejercicios diferentes. El profesor deberá elegir, según el nivel del estudiante, la pieza a trabajar. Se recomienda abordar estos ejercicios mucho antes (y no inmediatamente antes) del estudio de la pieza a la que corresponden. Como podrá verse, no se han incluido ejercicios realmente elementales, como, por ejemplo, ejercicios de los cinco dedos, del paso del pulgar, arpegios simples, etc.; lo que constituye otra diferencia entre éste y otros "métodos" más tradicionales. En cualquier caso, cada profesor estará familiarizado con ejercicios convenientes para cada nivel y podrá juzgar lo que cada estudiante será capaz de tocar. Las piezas y ejercicios están agrupadas en un orden musical y técnico más o menos progresivo, lo que no impide que el profesor cambie el orden de estudio dependiendo de la capacidad del estudiante. Las indicaciones metronómicas, así como la duración de las mismas, sobre todo en los tres primeros cuadernos, se dan simplemente a título indicativo. Las primeras docenas de piezas pueden tocarse a más o menos velocidad, según las circunstancias. A tenor de los progresos, se pedirá al alumno que respete la velocidad original de manera más estricta. Para las piezas de los cuadernos quinto y sexto, el tiempo indicado debe obligatoriamente respetarse. Un asterisco (*)al lado del número de una pieza indica la existencia de una nota explicativa en el apéndice.

Existe igualmente una parte para el segundo piano en las piezas nº 43, 44, 55 y 68. Es importante que los alumnos empiecen a tocar juntos lo antes posible. Naturalmente las piezas escritas para dos pianos sólo podrán ser ejecutadas en un aula donde se disponga (como debería ser siempre el caso) de dos instrumentos. Las cuatro piezas nº 65, 74, 95 y 127 están escritas como canciones con acompañamiento de piano. Toda enseñanza instrumental debería comenzar con ejercicios vocales. Cuando es éste el caso, la ejecución de obras para voz y piano no debería plantear dificultades. Este tipo de piezas proporcionan una práctica muy útil en la lectura de tres pentagramas en vez de dos, teniendo el alumno que acompañarse a la vez que cantar la melodía. Para facilitar , se han transcrito también para piano solo los números 74 y 95. Es aconsejable trabajar primero esta versión a fondo y sólo después pasar a la versión de canto y piano. En el apéndice del segundo cuaderno se muestran diversas formas de tocar la pieza número 65.

El estudio del cuarto cuaderno puede (y de hecho debe) combinarse con el estudio de otras obras (por ejemplo las piezas fáciles del "Album de Ana Magdalena" de J.S. Bach, o los ejercicios correspondientes de Czerny). Se recomienda transportar las piezas y ejercicios fáciles. Incluso se podría intentar la transcripción de las piezas que se presten a ello de los cuadernos 1-3. Naturalmente, hablamos aquí de una transcripción "estricta", empleando principalmente la duplicación de octavas al modo de los registros del clavecín. De esta forma, algunas piezas pueden ser tocadas a dos pianos si el segundo ejecutante toca la misma pieza una octava superior, (los números 45, 51, 56 etc.) Se podrían intentar más modificaciones más atrevidas como, por ejemplo, la simplificación del acompañamiento al número 69 del tercer volumen:

etc.; aunque la adaptación de los compases 10-11, 14-15, 22-23, 26-27, 30 y 32-33 requerirá una considerable agilidad mental. Ocasiones para efectuar un trabajo similar no faltan y el resultado dependerá del ingenio del profesor y de la habilidad del alumno.

En el capítulo de transcripciones cabe destacar que algunas piezas (los números 76, 77 78, 79, 92, 104b, entre los más fáciles y los números 117, 118, 123, 145, entre los más difíciles) son adecuadas también para el clavecín. En este instrumento las duplicaciones de octavas se efectúan gracias al registro.

Finalmente, el *Mikrokosmos* puede tener otra función: la utilización del mismo por los alumnos más avanzados como material de lectura a primera vista.

BÉLA BARTÓK

　本書（全6巻）の1〜4巻は、ピアノの入門者——子どもであれ大人であれ——のための教則本として書かれ、初心者がぶつかりやすい技術面での単純な問題をできるだけ多く扱うように構成されている。とくに1〜3巻は、ピアノを習い始めて1年目から2年目の生徒にとっては、これだけで充分な素材になっている。この3冊は、技術や理論についての指示が省略されているという点で、型にはまったこれまでのピアノ教育法とは違っている。というのも、こうした指示は教師から生徒に説明するほうがより適切だと確信しているからである。本書では、多くの例が示しているように、数多くの作品が似通った特殊な問題を扱っている。教師と生徒は、自分たちなりの選択をする機会が与えられているのだ。つまり、どんな場合であれ、ひとりの生徒が1〜3巻に収められた96曲すべてを学ぶ必要はない。必要ないどころか、もしかするとそんなやり方は不可能で、避けたほうがよいのかもしれない。

　教師の仕事を楽にするために、1〜4巻にはそれぞれ巻末に「基本練習」がつけ加えられている。基本練習の曲番号のわきについている数字は、テクニックのうえで同じような難題が含まれている作品の番号である。この基本練習には、技術的に似通ったポイントがたびたび登場する。ここでもう一度、教師は生徒の能力を見きわめて基本練習を選択すべきであることを述べておきたい。できる生徒にはよりむずかしいもの、技術が伴わない生徒にはやさしいものを与えてもらいたい。これらの基本練習は、対応する作品を学ぶ直前ではなく、少し前にあらかじめ弾きこなしておくのが大切である。また、基本練習には、5本の指のトレーニングや、親指を下からくぐらせる練習、単純な分散和音など、ごく初歩的な訓練は含まれていない。その点でも、これまで行われてきたピアノ教育とは違った入門法であることがわかるだろう。とにかくどんな教師であれ、遅かれ早かれ、このレベルにふさわしい基本のトレーニングがよくわかるようになるだろうし、自分の生徒にはどんな練習がふさわしいか判断できるようになるだろう。

　作品と基本練習はどちらも、技術的・音楽的難易度にしたがって順序づけてあるが、このならべかたはだいたいの目安だから、生徒の能力を正しく評価したうえでこの順番を変えるならさしつかえない。速度記号と演奏時間も、とくに1〜3巻では、ひとつの規準にすぎないと考えてもらってよい。最初の20数曲は、状況に応じてゆっくり弾いたり速く弾いたりしてかまわない。しかし、上達するにしたがって指定のテンポを守るようにすべきであり、5、6巻ではテンポの指示を厳守してほしい。また、作品番号のわきに＊があれば、巻末に解説があるという意味である。

　第2ピアノのパートがついている曲は43、44、55、68番の4曲である。アンサンブルの演奏をできるだけ早い時期にはじめるのは大事なことだ。もちろん、これらの曲は、2台のピアノが使えるような教室でなければ弾くことはできない。また、65、74、95、127番はピアノ伴奏つきの歌として書かれている。これらは、ピアノの練習をするときは必ず生徒に歌わせてほしい。歌とピアノの同時演奏を果たすのは、さほど厄介なことではない。これらの曲は、歌いながら伴奏を弾くわけだから、2つの譜を読むことからさらに3段の譜を同時に読む訓練に大へん役立つ。練習しやすくするために、74番と95番についてはピアノ演奏だけの譜もつけてある。まずピアノ・ヴァージョンを練習してから、ピアノ伴奏と歌に移るほうがよいだろう。また、65番にはほかの演奏のしかたがあるのだが、それについては2巻の巻末の解説を参照してほしい。

　レッスンが4巻に進んだら、J・S・バッハの『アンナ・マグダレナ・バッハのための音楽帳』や、ツェルニーの練習曲集から適当なものを選ぶなどして、ほかの教本と組み合わせて使うことをすすめたい。4巻の平易な作品や基本練習は、移調して弾かせるとよい。また、1〜3巻の曲を編曲して弾かせるのもよいだろう。ここでいう編曲とは、たとえば、ハープシコードでやるように、旋律の上か下にもう1オクターブ加ええて弾くなど、かぎられたやりかたを指す。さらに、45、51、56番などは、第2ピアノを用いて1オクターブ違う音を演奏するとよい。また、3巻の69番の伴奏は、下のような弾き方でためしてみるとよい。

　その場合、10〜11、14〜15、22〜23、26〜27、30、32〜33小節では、上のような和音の省略にはかなり精神的な機敏さが要求されるかもしれない。本書では、こうした類の編曲練習は大いに可能である。どう編曲するかは、かならずしも教師の創意工夫によらなくてもよい。生徒のアイデアのほうが優れていれば、それにしたがえばよい。また、編曲の件とあわせて、ハープシコード用の作品についてもつけくわえておこう。やさしい曲では76、77、78、79、92、104b番、むずかしい曲では117、118、123番が、ハープシコードでの演奏にふさわしい。ハープシコードでは、1オクターブ上の音を重ねたいときはレジスターを使う。

　最後に、本書のもうひとつの応用法を述べておきたい。もっと上達した生徒には、本書を初見用の練習曲集として使うと役に立つだろう。

　　　　　　　　　　　　　　　　　　　　　ベーラ・バルトーク

Six Unison Melodies

Seis Melodias em Uníssono

Seis melodías en unísono

6つのユニゾンの旋律

1

[20 sec.]

a) **2**

[20 sec.]

b)

[20 sec.]

12

[30 sec.]

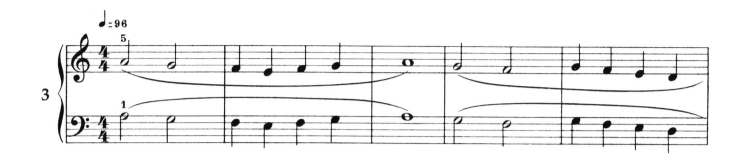

[20 sec.]

14

[30 sec.]

[20 sec.]

Dotted Notes

Notas Pontuadas

Notas con puntillo

付点音符

1) cf. No. 28

[30 sec.]

Repetition (1)

Repetição (1)

Repetición (1)

反　復　(1)

[30 sec.]

Syncopation (1)

Ritmo Sincopado (1)

Síncopa (1)

シンコペーション （1）

1) cf. No. 27

[35 sec.]

With Alternate Hands

Com Mãos Alternadas

Manos alternadas

両手を交互に

[40 sec.]

Parallel Motion

Movimento Paralelo

Movimiento paralelo

平行進行

[27 sec.]

Reflection

Reflexo

Reflexión

鏡 影

[25 sec.]

18

Change of Position

Mudança de Posição

Cambio de posición

ポジションの移動

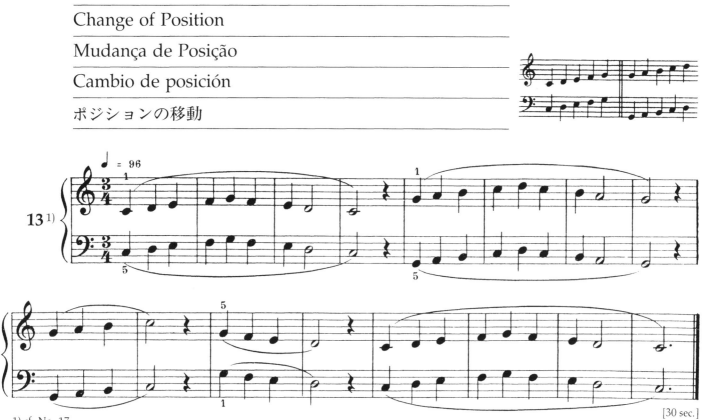

1) cf. No. 17

[30 sec.]

Question and Answer

Pergunta e Resposta

Pregunta y respuesta

問いと答え

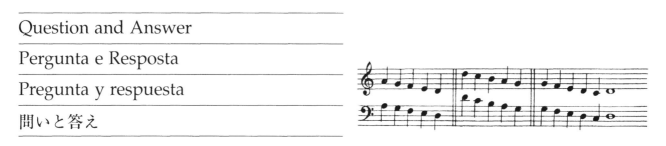

"Could you, would you, let me share your rake so fine?" "No sir, go sir, don't you know this
"Tu tens, Tu tens, um an-ci-nho co-mo o meu?" "Te-nho, te-nho, um bem me-lhor
"¿Tie- nes, tie- nes, un ras-tril- lo pa-ra mi?" "Ten- go, ten- go, pe- ro me- lo
「ね え、 ね え、 熊 手 を 貸して よ」 「いい え、 だ め、 これ は わた しの

rake is mine?" "I would trade you ap-ples from my tree." "Ne- ver! My fine rake is just for me!"
que o teu!" "Se tens, mos-tre-o já, que-ro ver!" "Ja-mais! meu an-ci-nho não vais ter!"
que-do yo!" "Yo te doy man-za -nas del jar- dín!" "No, no, ve te por-que es pa- ra mi!"
熊 手 なの」 それじゃ リ ン ゴ を あげ るか ら」 「いい え、 そ れ で も いや なの よ」

2) cf. No. 65   4   [40 sec.]

Village Song

Canção da Aldeia

Canción aldeana

村の歌

15

[25 sec.]

Parallel Motion with Change of Position

Movimento Paralelo com Mudança de Posição

Movimiento paralelo con cambio de posición

ポジションを変えた平行進行

16

[45 sec.]

Contrary Motion (1)

Movimento Contrário (1)

Movimiento contrario (1)

反進行（1）

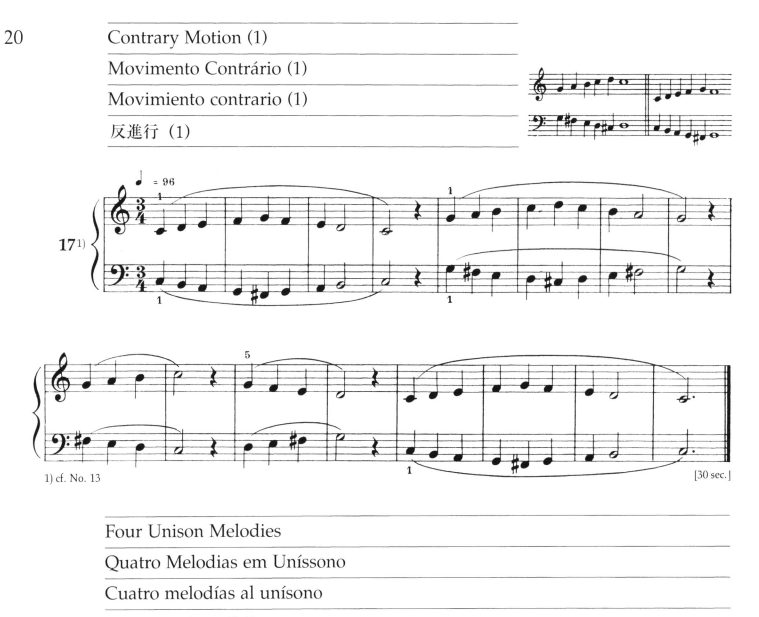

1) cf. No. 13   [30 sec.]

Four Unison Melodies

Quatro Melodias em Uníssono

Cuatro melodías al unísono

4つのユニゾンの旋律

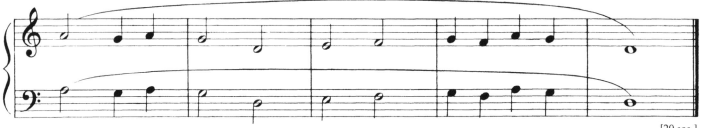

[20 sec.]

19

[30 sec.]

20

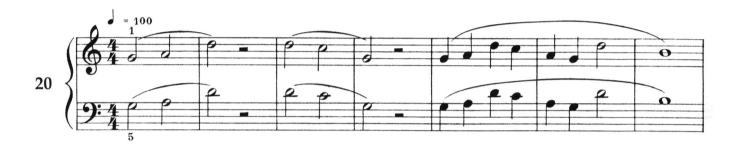

[40 sec.]

21

[22 sec.]

Imitation and Counterpoint

Imitação e Contraponto

Imitación y contrapunto

模倣と対位法

[28 sec.]

Imitation and Inversion (1)

Imitação e Inversão (1)

Imitación e inversión (1)

模倣と転回（1）

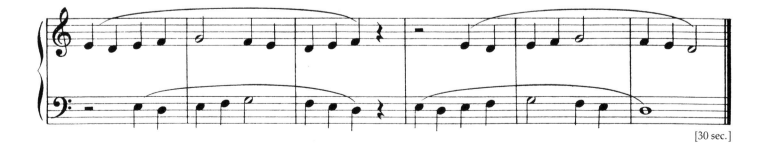

[30 sec.]

Pastorale

Pastoral

Pastoral

牧 歌

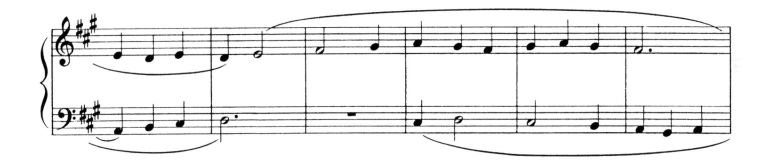

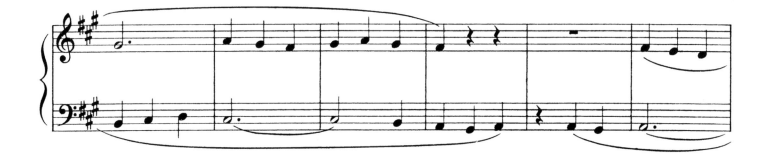

[35 sec.]

24 Imitation and Inversion (2)

Imitação e Inversão (2)

Imitación e inversión (2)

模倣と転回（2）

[57 sec.]

Repetition (2)

Repetição (2)

Repetición (2)

反 復 (2)

[30 sec.]

Syncopation (2)

Ritmo Sincopado (2)

Síncopa (2)

シンコペーション (2)

[35 sec.]

1) cf. No. 9

Canon at the Octave

Cânone em Oitava

Canon a la octava

1オクターブ離れたカノン

1) cf. No. 7

[30 sec.]

Imitation Reflected

Reflexo de Imitação

Imitación reflejada

鏡に映った模倣

[30 sec.]

Canon at the Lower Fifth

Cânone na Quinta Inferior

Canon en la quinta inferior

5度下のカノン

[43 sec.]

Dance in Canon Form

Dança em Forma de Cânone

Danza en forma de canon

カノン形式の舞曲

[35 sec.]

In Dorian Mode

No Modo Dório

En modo dorio

ドリア旋法で

[52 sec.]

Slow Dance

Dança Lenta

Danza lenta

ゆったりした踊り

[45 sec.]

In Phrygian Mode

No Modo Frígio

En modo frigio

フリギア旋法で

[45 sec.]

[1 min. 13 sec.]

Free Canon

Cânone Livre

Canon libre

自由なカノン

[42 sec.]

Apêndice: Exercícios

Apéndice: Ejercicios

付録：基本練習

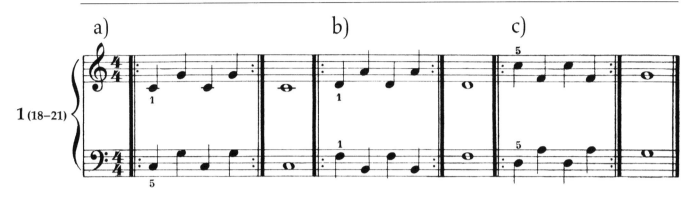

34

a)

2 (22–25)

b)

3 (27)

4 (29)

Printed by
Halstan & Co. Ltd., Amersham, Bucks., England

9 The rhythmic feeling of the suspensions should be emphasized by some energetic movement such as tapping with the foot in the places marked by rhythmic signatures between the staves.

10 The signature is A♭.

14 In order to emphasize music's ability to convey expression – contrary to the concept fashionable in recent times – 'questioning' and 'answering' lines were placed under melodic sections or corresponding nature. It is advisable that this piece be sung first by two students (or perhaps two groups of students) before it is learned on the keyboard.

22 Imitation: The second voice begins later and is similar to the first voice.

23, 25 Inversion: The position of the two voices is changed so that the upper voice becomes the lower and vice versa. (In No. 23 bars 1-3 and 7-9 show the original position and the remaining bars show the inversion.) In No. 25 the signature is C♯.

28 Canon: Two equal voices are introduced; one begins later than the other. There can be any interval between the voices. In No. 28 it is an octave, hence the title 'Canon at the Octave'.

29 Imitation reflected: The melodic line of the imitating (lower) voice runs in the contrary direction to that of the upper voice.

30 See notes to No. 28. The interval between the two voices in this case is a fifth.

32 Dorian Mode: One of the so-called ecclesiastical modes. Beginning on D as the principal tone the degrees of the scale have no accidentals (there are white keys only). Built from C as the principal tone the scale looks like this:

Thus it is a minor (minor third) scale with a major sixth and a minor seventh. The ecclesiastical modes were used in the middle ages until about the 17th century, but after the time of J. S. Bach, they have been replaced in art music by the major and minor scales. However, along with many other unnamed scales, they still flourish in the folk music of Eastern Europe (Hungary, Rumania, Yugoslavia, etc.) and Asia, and are not at all antiquated.

34 Phrygian Mode: One of the ecclesiastical modes beginning on E as the principal tone with seven degrees without accidentals (a minor scale with a minor second, sixth and seventh).

36 See note for No. 28. The canon is 'free' if the second voice deviates somewhat from the first.

9 A síncope deve ser enfatizada por um movimento enérgico, como por exemplo, batendo o pé nos tempos sincopados, que se encontram marcados por um sinal ritmico entre as pautas.

10 Observe a existência de um lá bemol na clave.

14 Para ressaltar as possibilidades de expressão da música – contrariamente à idéia muito em voga nos dias de hoje – "perguntas" e "respostas" foram colocadas em baixo das linhas melódicas correspondentes. A nossa recomendação é de que esta peça seja cantada por dois alunos (ou dois grupos de alunos) antes de estudada ao piano.

22 Imitação: a segunda voz começa mais tarde e é semelhante à primeira.

23, 25 Inversão: a posição das duas vozes é modificada, de maneira que a voz superior passa a ser a inferior e vice-versa. (No nº. 23 os compassos 1-3 e 7-9 mostram a posição original e os demais compassos, a inversão). Observe que no nº 25 existe um dó sustenido na clave.

28 Cânone: duas vozes idênticas são apresentadas, não ao mesmo tempo, mas uma após a outra. Esta imitação pode ser produzida a intervalos diferentes. No nº 28 é uma oitava, daí a denominação "Cânone em Oitava".

29 Reflexo de Imitação: a linha melódica da voz que está imitando (voz inferior) segue um movimento contrário ao da voz superior.

30 Veja a nota referente ao nº 28. O intervalo entre as duas vozes, neste caso, é uma quinta.

32 Modo Dório: um dos modos chamados "eclesiásticos". Começando pelo ré como tom principal, os degraus da escala não têm acidentes. Tomando-se por base a escala de dó como tonalidade principal, a escala ficaria assim:

o que equivale a dizer que se trata, evidentemente, de uma escala menor (terça diminuída) com uma sexta maior e uma sétima menor. Os modos eclesiásticos foram de uso muito freqüente na Idade Média até o século XVII mais ou menos, porém após a época de J. S. Bach, foram substituídos na música de concerto pelas escalas maiores e menores. Entretanto, esses modos ainda florescem ao lado de numerosas outras escalas sem denominação na música da Europa Oriental (Hungria, Romênia, Jugoslávia) e da Ásia, sem contudo serem rotulados de ultrapassados.

34 Modo Frígio: um outro modo eclesiástico que começa por um mi como tom principal com sete degraus sem acidentes, isto é, uma escala menor onde a segunda, a sexta e a sétima são menores.

36 Veja a nota referente ao nº 28. O cânone é "livre" se a segunda voz se afasta ligeiramente da primeira.

9   El sentido rítmico de las suspensiones debe ser destacado por algún movimiento enérgico, como por ejemplo el marcar con el pie en los puntos que tienen signos rítmicos entre los pentagramas.

10   Hay un la bemol en la armadura.

14   Para subrayar las posibilidades de expresión de la música – contrariamente a la moda actual – "preguntas" y "respuestas" han sido colocadas debajo de las líneas melódicas correspondientes. Recomendamos hacer cantar esta pieza a dos alumnos (o a dos grupos de alumnos) antes de trabajarla al piano.

22   Imitación: la segunda voz empieza más tarde y se parece a la primera.

23, 25   Inversión: la posición de las dos voces está cambiada, de manera que la voz superior se convierte en la inferior, y viceversa. (En el Nº 23, los compases 1-3 y 7-9 muestran la posición original y el resto de los compases muestran la inversión.) En el Nº 25 hay un do sostenido en la armadura.

28   Canon: Se introducen dos voces idénticas, una empieza después que la otra. Puede existir cualquier tipo de intervalo entre las voces. En el Nº 28 el intervalo es de una octava. De ahí el título "Canon a la octava".

29   Imitación reflejada: La línea melódica de la voz imitadora (inferior) va en movimiento contrario a la de la voz superior.

30   Ver la nota para el Nº 28. El intervalo entre las dos voces es en esta ocasión de una quinta.

32   Modo Dorio: uno de los llamados modos "eclesiásticos". La escala comienza por un re como tono principal y no tiene alteraciones (sólo tiene teclas blancas). Basado en el do como tono principal la escala sería como sigue:

es decir, una escala menor (tercera menor) con una sexta mayor y una séptima menor. Durante la Edad Media hasta el siglo XVII aproximadamente, los modos eclesiásticos eran de uso frecuente, pero después de la época de J.S. Bach fueron reemplazados en la música de conciertos por las escalas mayores y menores. Sin embargo volvieron a florecer (junto con otras numerosas escalas sin nomenclatura) en la música de Europa Oriental (Hungría, Rumania, Yugoslavia) y de Asia, y no están anticuadas en absoluto.

34   Modo Frigio: otro modo eclesiástico empezando con un mi como tono principal, con siete grados sin alteraciones; es decir, una escala menor en la que la segunda, la sexta y la séptima son menores.

36   Ver la nota para el Nº28. El canon es "libre" si la segunda voz se separa ligeramente de la primera.

9　のばす音のリズムの感覚をつかむためには、書きたされたリズム記号にしたがって、足で力強く拍子をとるとよい。

10　この曲の調号は変イである。

14　音楽がもつ、表現を伝えるという力を強調する——これは、最近もてはやされている考えかたとは逆なのだが——ために、音符に合わせて「問いかけ」と「答え」の歌詞がついている。鍵盤にさわらせるまえにまず、ふたりの生徒、あるいは複数の生徒たちを問うほうと答えるほうに分けて歌わせるとよい。

22　曲名の「模倣」は、右手が左手より1小節遅れて左手の旋律と似たフレーズを弾いたり、その逆になったりすることからくる。

23、25　タイトルの「転回」は、右手から弾きはじめるフレーズと左手から弾きはじめるフレーズが交互に現れるためである。たとえば23番では、1〜3、7〜9小節が基本の位置で、4小節以降、10小節以降はそれぞれ逆のパターンになっている。25番の調号は嬰ハである。

28　右手と左手が同じ旋律を追いかけるように奏でるのが「カノン」である。

29　左手が右手より1小節遅れて似た旋律を弾くのだが、音符の動きの方向が逆になっているため、「鏡に映った模倣」という曲名がついている。

30　上の28番の項を参照。この場合、ふたつの音の間隔は5度である。

32　曲名の「ドリア旋法」とは、いわゆる教会音楽の旋法の一種である。基音はニ音で変化記号はつかず、白鍵だけで構成される。これをハ音を基音にして書き直すと下のようになる。

したがってこれは、長6度と短7度をふくむ音階である。さまざまな教会音楽の旋法は中世に用いられて17世紀までつづいたが、J・S・バッハの時代が過ぎて芸術音楽（純音楽）の時代になると、長・短音階にとって代わられた。しかしながら、教会音楽の旋法は、その他数多くの名もない音階とともに、いまも依然として、東部ヨーロッパやアジア諸国の民族音楽のなかで息づいており、すたれてしまったわけではない。

34　「フリギア旋法」はホ音が基音で7音からなる、変化記号のない、短2度、短6度、短7度をふくむ音階である。

36　第1声部が第2声部とはいくぶんずれて進行するので、これは「自由なカノン」である。